Universale Economi

CW00427879

STEFANO BENNI
PRIMA O POI
L'AMORE ARRIVA

Feltrinelli

© Giangiacomo Feltrinelli Editore Milano
Prima edizione nell'"Universale Economica" febbraio 1981
Ventitreesima edizione febbraio 2002

ISBN 88-07-80928-1

Alla Svizzera

www.feltrinelli.it
Libri in uscita, interviste, reading,
commenti e percorsi di lettura.
Aggiornamenti quotidiani

PRIMA O POI L'AMORE ARRIVA

A un passaggio a livello
lontano dal mondo
un giorno d'agosto assolato
un capostazione annoiato
vide a un finestrino
di un accelerato
una signora bruna
e piú non lavorò
passava le serate
a guardare la luna
e i treni si scontravano
ma lui non li sentiva
prima o poi l'amore arriva

C'era un bancario
cosí serio, cosí serio
che non rideva mai
fuori orario
ma un giorno allo sportello
arrivò un giovanotto
indubbiamente bello
aveva un assegno da un milione
della Banca Popolare

e disse sorridendo
"me lo può cambiare?"
e lui cambiò l'assegno
e la sua vita intera
quella stessa sera
rubò la cassa e scappò via
via con lui a Bahia
e la gente parlava
ma chi la sentiva
e ballavano insieme
una samba giuliva
prima o poi l'amore arriva

C'era un politico
ladro e indifferente
non voleva bene a niente
neanche agli amici democristiani
neanche ai bambini
neanche a Fanfani
solo un pochino
lui si eccitava
se Nuccio Fava lo intervistava
ma a una seduta
molto affollata
vide una splendida deputata
le disse "amore,
dimmi di sí"
e lei "non posso
son del Pci"
e perse la testa
e come un ossesso
urlava "amore,
non è un problema
c'è il compromesso"
e Fanfani strillava

ma nessuno sentiva
e nel transatlantico
un sussurro saliva
e Andreotti dichiarò
alla stampa sportiva:
prima o poi l'amore arriva

C'era un bagnino
che non sapeva nuotare
ma era raccomandato
da uno zio piesseí deputato
stava lí sulla spiaggia
di Gabicce Mare
a pensare, a pensare
perché neanche la rana
riusciva a imparare
ma una bella tedesca
dai capelli biondi
urlò "aiuto, annego
entro trenta secondi"
e lui come un cefalo
si tuffò nel mare
perché in amore bisogna
saper galleggiare
la riportò a riva
e lei aprí gli occhi
e disse "mio eroe,
mio tritone, son viva"
e la spiaggia in coro:
prima o poi l'amore arriva

E c'era un barbone
senza abitazione
aveva solo la televisione
mangiava le ghiande

come i maiali
però teneva novanta canali
ma una notte d'inverno
che nevicava
e Corrado in pelliccia
da Gstaad presentava
sentí che di freddo
e di stenti e di affanni
era ormai arrivato
alla fine dei programmi
ed ecco la vide
rosa e felice
e sorridente, l'annunciatrice
che gli annunciava
"i nostri programmi riprendon domani"
e urlò "sí, domani
mia splendida diva"
e il freddo e la fame
già piú non sentiva
abbiamo trasmesso:
prima o poi l'amore arriva

C'era un supergenerale
di superpolizia
arrestava e sparava
per difendere, diceva,
la democrazia
se l'era rinchiusa
e portata via
ma un giorno in un blitz
in un covo sul mare
catturò una giovane
extraparlamentare
e personalmente
la volle interrogare

e alla fine lo videro
che piangeva
lei non lo voleva
e lui le diceva
"ma non senti il fascino
della divisa?"
"La divisa è un bijou"
lei rispondeva
"ma quello che fa schifo
è che ci sei dentro tu"
e lui fece tanti blitz
ma non era piú lui
e non si divertiva
e ai suoi carabinieri
gridava "At-tenti
vigilare, in riga
sparategli a vista
è un'erba cattiva"
prima o poi l'amore arriva

E c'era un uomo
che voleva esser morto
perché nella vita
tutto gli era andato storto
scornacchiato, disoccupato
mangiò sei buste di talco borato
un chilo di Vim
duemila Rim
trecento fette di sottilette
e arrivò l'ambulanza
che già delirava
e già per spacciato
l'avevano dato
ed ecco la vide
e di colpo sentí

un brivido dentro
e all'istante guarí
com'era carina, la crocerossina
che con un sorriso
diceva "riposi, è ben fortunato
si è proprio salvato
stanotte ritorno
a provarle la febbre
che l'è tutto rosso
mi tolga la prego le mani di dosso"
ma quello già tutto
bruciar si sentiva
non era il febbrone
era proprio passione
e tutto il reparto
di urli riempiva
"dottore dottore
prima o poi l'amore arriva"

C'erano dei maniaci
luridi e laidi
che si eccitavano
guardando Heidi
e un giorno in un parco
dove facevano i porci
videro due gemelle
cosí belle, cosí belle
che in tre minuti finirono
le caramelle
e dissero basta
con le perversioni
si sposarono in chiesa
e per testimoni
i quattro bruti bruti di piú
vestiti in cravatta

e impermeabile blu
e il prete diceva
"beato chi lascia
la vita lasciva
prima o poi l'amore arriva"

E c'erano uomini con un lavoro sicuro
e donne con le case ordinate
e una piazza dove le sere d'estate
ci si sdraiava insieme ad aspettare
un'attesa un qualcosa un altro aspettare
e tutte le notti
un fantasma appariva
e in tutta la piazza tuonar si sentiva
"o voi che credete che indifferenti
e rassegnati invecchierete, contenti
che non c'è una bocca che vi può ferire
o una foto sul muro che non vi fa dormire
non c'è niente da fare
non si può scappare! guardate
è dietro! vi guarda goloso
chissà da quanto lui vi seguiva
vi prenderà! non c'è scampo!
vi ha preso! evviva! evviva!
prima o poi l'amore arriva"

Delitto in interno familiare

Lui
disse a lei
spegni la tivú
non ne posso piú
No non la spengo
rispose lei
son fisime le tue
e lui
le spense tutte e due

Il lamento del fontaniere innamorato
(frammento classico greco)

Se tu mi amasti
se tu non fosti cosí ghignosa[1]
che quando che mi vedi arrizzi il naso
che sembrasti che vedi chissacosa

se tu mi amasti
se tu amasti almeno un pocanino
se quando che ti passo da vicino
mi degnasti almeno d'un'occhiata
invece di far gli squasi[2] con Tonino
perché lui c'ha la Guzzi pistolata[3]

ti porterebbi gardenie e turlipani
dei platò[4] di pere spadone
ti farebbi un vestito di cretone[5]
ti porterebbi il zlati[6] con le mani

[1] Piena di smancerie, antipatica.
[2] Fare la smorfiosa.
[3] Guzzi: marca di moto dell'Antica Tebe; pistolata: truccata, in modo da aumentare la potenza del motore.
[4] Ceste.
[5] Cretonne.
[6] Zlati: gelato; al plurale: due zlato.

Se mi chiedesti qualcunché di strano
anche se di reato dalla legge
anche di dare un calzio a un pulismano[7]
o riempire una curira[8] di scoregge

io ti darebbi tutta la mia vita
mi sacrificcherei per te, te sola
ma tu c'ha il cuore come una granita
e l'anima riempita di scagliola[9]

e mentre io languisso e mi dimeno
tu ti fai dei gran piatti di stracotto
bella crudele, che ti venga almeno
un'ulciara come un tubo del ventotto[10]

[7] Un calcio a un poliziotto.
[8] Curira: corriera.
[9] Tipo di calce usata dai muratori greci.
[10] Un'ulcera come un buco del tubo del ventotto. Il poeta conclude la sua disperata invettiva con un paragone tratto dalla sua dura fatica quotidiana: in lin fon "tubo del 28" significa tubo con un'apertura di ben 28 cm.

Consigli a un'amica

Non fare pompini ai soldati
possono esplodere
non ti truccare la bocca
è un bersaglio di notte
non adescare in piazza
i carabani in divisa
e baciami alle spalle
che muoia all'improvviso

e poi non fare mai l'amore
sotto una coperta peruviana
del tuo vecchio vibratore
non essere cosí gelosa
e non credergli mai
se dice che ti sposa

Non portare gli slip
prima o poi si ribellano
non dare via il culo
a chi non sa capirlo
non mordere sul collo
chi soffre d'artrosi

non frustare troppo forte
i masochisti ipertesi

e poi non fare mai l'amore
con un barboncino violento
o in una sezione piccí
durante il tesseramento
e sii sempre dolce
e stupita, come sei
quando passano gli aeroplani
tra le gambe
e piovono bombe
e stiamo cosí bene
che abbiamo paura
di trovarci in un sogno
o in un film porno

I *miti crollano*
(canzone bellunese)

Mi sun alpin
me piase el Gin*
perché anche in degli alpin
gh'è qualche checa

* Forse Gino Pompanin, nome comune a una cinquantina di gui-
de alpine di eccezionale prestanza fisica.

L'isola dell'amore
(samba)

Io e te partiremo
su un aereo di carta
in tre ore per passare il mare
dove il vento ci porta

un aereo di carta di giornale
che porta la notizia che
io e te siamo partiti
e non si sa dove siamo finiti

e cadremo alla fine giú
tra gli indigeni sbigottiti
tu sarai principessa, io cuoco

con l'aereo di carta faremo
la prima notte un gran fuoco
e cosí ritornare
indietro non si può

ti darò le perle che trovo
nelle ostriche del brodetto
ti andrà via col sole integrale
il segno del reggipetto

e tutte le notti
con la luna che ci tiene svegli
faremo l'amore l'amore
senza tregua come conigli

e diranno basta maiali
gli indigeni scandalizzati
siamo in un posto libero
ma voi siete troppo liberati

per favore, per favore
un poco di pudore
un poco di pudore
non ve ne approfittate
anche se questa è l'isola dell'amore

Self-service

(a Marta)

La fame del soldato
si mescolava
col dubbio del bancario
pesce o salsiccia?
Si scontravano
come eroi greci i vassoi
con coltelli e forchette
per terra rotolavano
le armi fatali
Lunga è la fila
verso la felicità
lentamente e con dolore
verso la risata
di scherno della cassa
In fretta ingoiando
facce e sapori
tu eri insieme
golosa e bellissima
Poi tutti se ne andarono
lasciando macerie
e orrore di cadaveri
di polli nostrani
e colorati Matisse

e delicati Mirò
di pane e sugo e piselli
Tu tornavi al lavoro
io alla mia scrivania
coi nostri pochi soldi
la nostra poca fame
col nostro frettoloso amore
Il soldato ti guardava
con desiderio
il bancario guardava
con desiderio il soldato
Il pesce ci guardava
dignitoso da un piatto
ci salutò un po' deluso
perché nessuno
l'aveva voluto
Ti ricordi?

13 luglio

È l'ultimo albero
questo
di un'anima in inverno
un pensiero pulito
per te
dopo aver troppo fumato

L'amore passa

Scusami,
ho usato
la nostra canzone
per una nuova
relazione

BLUES URBANI

Blues della circonvallazione

A san Donato mi son rovinato
ed ero già in para a porta Galliera
ma un tizio coi baffi / giú a porta Saffi
mi ha detto, amico, va tutto benone
è solo il blues della circonvallazione.

A porta Zamboni autoblindo e gipponi
a porta Mazzini parà e celerini
diobono, sto male anche in San Vitale
ed in Mascarella / una sbarbatella
mi fa, su con la vita, coglione
è solo il blues della circonvallazione.

E a Porta Lame sono solo come un cane
ed in San Felice son tanto infelice
e in Sant'Isaia c'è la polizia
che urla al megafono / nessuna impressione
è solo il blues della circonvallazione.

Ed in Saragozza mi son fatto di pizza
a Porta D'Azeglio non sto niente meglio
ed in Castiglione, che gran depressione

non ho una lira / neanche un gettone
soltanto il blues della circonvallazione.

Ed in Santo Stefano c'è una bus-fermata
seduta a aspettare una mezza strippata
mi dice amico, sali con me
facciamo un giro con il trentatré
e ad ogni porta / ci facciamo un cannone
è questo il blues della circonvallazione.

Ma al Barracano sale un pulismano
e dice "siete in contravvenzione
per blues abusivo della circonvallazione"
mi prende da parte, "ho della roba da darti
se proprio vuoi farti, ho dei dischi di Sarti"
e siccome al business non faccio attenzione
mi carica su e mi porta in prigione
per quale ragione? / non c'è una ragione
è solo il blues della circonvallazione.

Black-out

S'è spenta la luce! Black-out
il disco si ferma con un rantolo di belva
si fermano lavatrici, radio, frullatori
si fa notte nei televisori
e i grattacieli di colpo sono altissime
lapidi di un cimitero
nel buio la gente si pesta, urla
si cerca e si chiama impazzita

Solo io e te felici, amore
bloccati in questo ascensore
al cinquantaseiesimo piano

Il forno è freddo! Black-out!
nel frigorifero buio, la notte artica
spaventa il cibo dell'uomo bianco
le rosse bistecche, le verdure rigogliose
gli ascetici yogurt, l'esotica banana
gridano: aiuto! marciremo
e lo stesso grido rantolano
i malati negli ospedali
tutte le centrali

saltano con zampilli di gioioso plutonio
la gente ha paura, ha freddo
si picchia per un fiammifero

Ma io ne ho un pacchetto, amore
per scaldarci in questo ascensore
al cinquantaseiesimo piano

L'industria è ferma! Black-out!
le fabbriche mute e ferme
edera sulle catene di montaggio
come i dinosauri, strisciano morenti
senza benzina i camion sulle autostrade
Trovate il guasto! Non c'è un guasto
tutto è guasto! tutto è guasto!
i telefoni sono senza voce
la gente urla, corre nelle strade
qua e là scavalcandosi come scarafaggi

Solo io e te amore
ci teniamo le mani, in questo ascensore
al cinquantaseiesimo piano

La città è una giungla! Black-out
bande feroci sono uscite
portoricani/molisani/zampognari
irochesi/zingari/tanzaniani
saccheggiano i negozi, distruggono
la polizia li insegue; ma chi
davvero insegue e chi fugge?
Casalinghe attaccano le armerie
bambini armati fucilano i dentisti
cosa teneva insieme la città?
si chiede la gente, atterrita
non certo la solidarietà

eppure io e te ci amiamo, amore
in questo maledetto ascensore
al cinquantaseiesimo piano

La città esplode! Black-out
si alza alto un candelabro di incendi
si spara da finestra a finestra
felici, escono i topi
a milioni, per il superconcerto
la gente spacca i vetri, urla
il suo odio per la città assassina
e c'è anche qualcuno, amore
che taglia le corde, amore
anche al nostro ascensore
che è già al decimo piano

Le vetrine

Pietà per le vetrine! Non vedete
trema la gelatina
impallidisce il prosciutto
terrorizzata la porchetta spalanca
gli occhi da deputato

Ahi! Cercando di fuggire
tutti avvinghiati sono i manichini
una bella sciatrice ha perso la testa
e il bel tennista muove
il moncherino scheggiato
le pellicce son scappate belando
ringhiando, soffiando (il piú
veloce era il ghepardo)

Pietà per le vetrine! Un sasso
è entrato nella banca
e si vedeva benissimo
che non aveva una lira
un altro sasso
ha rotto un vaso cinese
un altro ha colpito al cuore
un bel tivú tedesco

spargendo intorno i colori
(è stato come scannare
un arcobaleno)
Ahi! le schegge dei dischi
hanno ferito le pareti. Anche
sul manifesto dei Caraibi
sulla scritta Saldi
calò la notte della serranda
Barbari!

Flipper

La donna spaziale strizza l'occhio
a cavallo di una cometa viola
e un cowboy ridente doma un missile
stelle e pianeti si accendono
premendo solo con un dito
si illumina come Manhattan
questo bar di periferia

Michele ha una giacca di cuoio lucido
e il segno di un pugno sulla bocca
Oscar il tatuaggio di un cucchiaio
Gianni voleva essere Bruce Lee
Lidia voleva essere Patti Smith
Consuelo vorrebbe essere già morta
Toni beve fernet e birra la mattina
e lavora dieci ore steso sotto i camion
sotto un cielo di olio e di ferro

Spesso parliamo e ci eccitiamo
spesso restiamo senza parlare
o ci facciamo male con un sorriso
finti pugni veri pugni spintoni
allora io mi alzo e prendo il flipper

e vinco dieci, cento milioni
e qualcuno entra e guarda
e io tengo la sigaretta in bocca
bello impassibile come un capo indiano

e un giorno scuoterò questo mondo
e lo farò suonare e accendere
e impazzire e contarmi i milioni
e sarà tutto mio, non ci sarà
mai piú la scritta il game è over
e la donna spaziale verrà giú
a baciarmi e far la smorfiosa
e salirò sul missile e partirò
da queste strade sempre vuote
dove camminiamo come cani
annusando qualche sogno non nostro

A una balla* di vino rosso

Buonanotte
mi casca la dentiera
e poi col motorino
ho preso nella portiera
dio boia d'un millecento
l'ultimo al mondo
esce Nasi in pigiama
dice che razza di busso
vuoi l'ambulanza
o meglio del rosso
Dioboia è stato
perché c'era il ghiaccio
ma se siamo in agosto
mi sono anche
pisciato addosso
Come quella volta
che a Parma ti ricordi
andammo a vedere Cavicchi
era un luglio con Gianni
dov'è la mia giacca
saranno vent'anni

* Sbronza.

che è morto anche lui
Gianni, non Cavicchi
e c'ho freddo
ma che razza di balla
triste come
un soldato di Brindisi
la domenica al cinema Orione
con le mutande a mollo
alla quarta sega
altresí masturbazione
Chi se ne frega se perdo
sangue dal naso
io bevo, e subito
ristabilisco, Nasi
l'emoglobina
Se so che tua moglie
fa l'infermiera?
Senti, una sera
Nasi, tua moglie
lasciamo perdere
dov'è la mia giacca
dov'è il mio motorino
dov'è quella bella
cassiera di Ferrara
che disse a mia sorella
soccia, l'Attilio
che razza di balla
ma è sempre cosí?
e lei rispose
un giorno sí
e l'altro giorno
sí

Blues della mattina d'inverno

Vai in questa
nebbia grigia schiuma di lavasecco
tra Topsy bar Billy bar Ringo bar
equivoci bar di periferia
con l'uomo scuro che fuma sulla porta
e puttane infiocchettate come
le vetrine di profumiere a Natale
un bus sadico che scappa e si fa
rincorrere da vecchie zoppe
bambini col muso di scimmia li vedo
entrare imprecando in una galera
di cubi gialli la chiamano scuola
con nanetti e daini dipinti sui muri
e scritte BR e Rinaldi è un busone
scritto a spray enorme blu come
le scritte della stazione che è
(chi lo ricorda?) saltata su in agosto

Ma adesso è inverno, e io vado
ad aspettare sentenze ai gabinetti d'analisi
in un angolo, pieno di freddo e medicine
nell'attesa con questa giacca a vento
rossa con lo stemma che mi hai regalato tu

e ascolto Africa di Nina Hagen
a una radio di una macchina
ferma a un semaforo, gelato, e poi
gettono sempre i Rolling Stones
e ballo attraverso i vetri sporchi
di un posto dove si mangiano panini
con polpette di animale morto
in circostanze poco chiare
delitti nello squallido mondo
degli insaccati. Ieri poi è partita una
che non ti fa entrare nel dancing
luminoso dei suoi denti. Non vuole
baci, per Dio, solo scopare insomma
e sul piú bello alla finestra è spuntato
il suo fidanzato incazzato vestito
da Babbo Natale. Bestiale.
Natale è un bancario che ha
la casa piena di dischi. Ha i baffi
ed è triste perché è morto Lennon. Dice
che è finita la musica utopica. Orca!
Maurizio è tornato da New York
dice che là è freddo cold come qua
tira la coca tira le palle di neve
il comune libera le strade
dai drogati e dai blocchi gelati
e pigliamo la broncopolmonite
per vedere una brunetta che
alle due di notte si spoglia
a un sesto piano. Tutto ciò
è molto, ma molto americano
Col fumo che dalla bocca va su
uguale a Bologna Frisco e Milano
coi tassisti isterici e i fanali rossi
e una goccia di gelo sulla punta delle scarpe
e bocche voluttuose che succhiano le sciarpe

e immaginare Mongo città d'un pianeta
sempre nella nebbia, e Gino il marinaio
che con la mano gonfia mi fa
secondo me Stampax dovresti anche tu
farti qualche pera. Ciano è in galera
aveva una bella faccia da indiano
e i capelli rasati. Domani forse
sparo a qualcuno. Oppure mi compro
guanti di lana rossa per poter salutare
nella nebbia, anche da lontano

Bologna

L'autobus ha una chiave
sul fianco. Forse anche
i passeggeri sono di latta
Giacca, cravatta
caricati per tre ore
La città fuma, piazza Maggiore
brilla come una padella
anche lei di metallo
Un camion giallo
filosofo, la lava
C'è un'edicola, ma certo
i giornali sono finti
fatti per i bambini. Tanti
titoli crudeli, ma sotto,
una favola. Sicuramente
è solo un pupazzo rotto
il compagno che portano via
Anche la polizia
ha una macchinina a molla
il sindaco è un burattino
di cartapesta e colla
Ero cosí lontano
e sono tornato. Lasciatemi giocare
con questa città
che sta in una mano

My wonderful hinterland

I cani sembrano barboni
i barboni sembrano cani
e nel parco giochi
sono vuote le altalene
ci metterano delle bambine
di plastica

Se a sera ritornano
dal lavoro in città
le moto incazzate
i motorini ringhiosi
gli operai e i ladri
le eritreee e i somali
allora per un attimo
ci guardiamo in faccia

La notte è una palude
in bande ci si muove
si schiodano le autoradio
si sgommano i mini
si sbanca un negozio

di dolci. Paste e eroina
e poi dietro la scuola
si aspetta una mattina
che non è mattina

I vecchi

Quello è un gran porco, alle donne
ogni tanto mostra la lumaca
e ride tutto sdentato
quante volte l'hanno picchiato
quello col cappello è un ex becchino
quello rosso un ex carabiniere
quello che parla da solo
viene da Foggia e basta.
Ha tre figli scuri.
Poi c'è Adelmo, che dipinge
mari e palme sul terrazzo
quell'altro col gozzo
è un gran testa di cazzo
ex vigile urbano, ogni tanto
vuol denunciare qualcuno
è quella brutta razza
di bravo cittadino
quello, con l'asma ancora fuma
quello si inventa scopate
quello in clinica l'hanno
aperto come un coniglio
e ancora spara risate
quello tre infarti, l'altro

non gli funziona una mano
insieme giocano a carte
col cappello sempre calato
fanno un western padano
quello coltiva nel bagno
basilico e rosmarino
quello ha chiamato Nikita
il suo canarino
quello è un gran ballerino
di rumba anche se
sifola da una gamba.
In questa notte calda
fanno un bel po' di casino
e bevono vino, e si pisciano
molto vicino ai piedi
brutti vecchi, siete
i più belli che conosco
in questo brutto agosto.

Luís

Luís si è seduto nella piazza
fa ballare le ranocchie intorno
viene il vigile e caccia via
ranocchiette di ferro e Luís

Luís è sbronzo in un bar
regala le ranocchie ed è contento
viene il padrone e butta via
la valigia vuota e Luís

Luís è morto in stazione
con una foto del papa in mano
arriva la polizia e butta via
il di anni 48 Meles Luís

Luís è arrivato in paradiso
senza ranocchie e documenti
arriva Dio e sono
cazzi tra lui e Luís

POESIE PER CHI NON SE LE MERITA

Al Padre nostro

Padre nostro
che sei dei nostri
liberaci dal peccato
pagaci un avvocato

Padre nostro
che sei dei nostri
libera i compagni
tutti i comunisti
non c'indurre in tentazione
paga la cauzione
Amen

A una gatta

O regina del giardino
tigre del ragú
lampo che sbrana
la piú veloce carne in scatola
altera anche quando
mordicchia una piattola
o guru crepitante
di fusa nel nirvana
con la coda allontani
i complimenti plebei
Nella tua pelliccia, per cui
nessun amante pagò
nella tua bellezza, per cui
gatti a decine
di orrende serenate
atterriscono la luna
o sonnacchiosa sovrana
o Nuvola, gatta
che non invecchia mai

A un topo

Benvenuto, topo
nella mia casa
paziente, notturno
pacifico ladro
Ti sento frugare
la mia legna, il mio cibo
sono per te un re
potente e magnanimo
con miniere di briciole
Ti lascerò sul comodino
un ditale di vino

Ai cagnolini

C'era un cane cosí bassino
che quando nevicava
cinque orme lasciava
le quattro zampette e il pisellino

C'era un cane cosí grosso
che il campione russo dei pesi
Anatoli Forzusky di Thiblisi
non riusciva a sollevare il suo osso

C'era un cane cosí fedele
che quando il padrone morí
sopra la sua tomba aprí
una bancarella di ex-voto e candele
crisantemi e patate salate
e fece quattrini a palate

C'era un cane cosí educato
che faceva la cacca in un prato
e poi per non sporcare
prendeva un treno accelerato
e l'andava a buttare in mare

C'era due cani cosí puzzolenti
che nessuna pulce ci abitava
e anzi il padrone li usava
per pulire vetri e pavimenti

E c'era un cane con una coda nera
ma cosí lunga, ma lunga cosí
che se gliela pestavano venerdí
faceva cai cai la domenica sera

E c'era due cani poliziotti
che davan la caccia ai delinquenti
e ai ladri e ai bugiardi mostravano i denti
un giorno videro Andreotti
e li dovettero tener fermi in venti

Canzone del verme da pesca

Siamo qui, chiusi in un sacco
che ci camminiamo addosso
sordi e ciechi ci muoviamo
un milione in un sacco di tela

nati dalla stessa mamma, una carogna
tutti bianchi, piccoli, uguali
con due occhietti sul culo
e una testa frenetica antenna

ah, perché non senti mai
il nostro milione di piccole grida
le nostre minuscole bestemmie
mentre a manciate ci lanci nell'acqua?

ti hanno mai infilato in un amo
piegato, stretto, sbudellato
e mandato giú nel profondo
ad aspettare una gola spalancata?

non senti? appoggia la mano
al tuo sacco di tela

questo brivido che per te significa
che siamo ancora freschi e vivi

invece è il nostro ultimo grido
la morte che ci fa tremare

accidenti a te, pescatore
che in eterno tu possa strisciare
che la grande carpa di stianchi
nella sua bocca finale

Al fumo

Pakistano
maledetto
fammi tornare a casa
nel mio letto

Nepalese
sii cortese
devo andare
non mi suonare

Marijuana
puttana
non eccitarmi
tira giú la sottana

Droghe leggere
per piacere
lasciatemi andare
a casa che aspetta
e piange da sola
c'è la mammina
senza la dose
di cocaina.

All'anguria

Quando l'agosto spegne
politica e disciplina
quando anche con Bisaglia
andresti in piscina
un rosso desiderio
eppur resiste
saldi nel solleone
i compagni ti baciano
con devota passione
tu, rossa passionaria
o anguria
bandiera proletaria

Se il borghese melone
gran qualunquista
sta con fichi e prosciutto
fa alleanza con tutto,
tu da sola rimani
e bisogno non hai
che della nostra sete
e delle nostre mani
nel ricurvo sorriso
del tuo quarto di luna

ci chiniam riverenti
sprofondando il viso
dolce come nessuna
o rossa passionaria
o anguria
bandiera proletaria.

Alle pensioni riminesi

Evviva le pensioni
umili baluardi
diga di miliardi
contro le recessioni
evviva le pensioni
che tedeschi a milioni
fan dormire contenti
salvando la bilancia
dei pagamenti

Dalla finestra c'è il panorama
di due tedeschi in pigiama
a mezzogiorno cozzano le forchette
contro il granito delle cotolette
a sera, si cammina inquadrati
per conquistare due coni gelati
a notte, si senton sibilare
come aerei in picchiata le zanzare
dalla finestra viene un odore sensuale
di fritto misto e fogna di canale
e nella notte adriatica e stellata
dice l'amato all'amata ustionata
"sei mia? sei come la Romagna

della nota canzone?"
e frenando la passione
la bacia con cautela
se no si spela

Canzone d'odio dell'artritico

Se a una a una potessi
tirarvi fuori dalla vostra tana
schiacciarvi col martello come noci
e fare di voi una collana
se potessi sfilarvi d'un colpo
come una frusta fuori dalla guaina
l'aria sibilerebbe nel mio corpo
come uno zufolo nella quiete silvana
e io piú non sentirei, odiose
i vostri morsi e le vostre punture
le vostre serenate dolorose
le vostre affezionate trafitture
quanto vi odio, vertebre
quanto mi è dolce pensare
che verrete con me sottoterra
e non potrete scappare

Dormi, Liú
(frammento classico di Eparione di Corinto)

Dorme la corriera
dorme la farfalla
dormono le mucche
nella stalla

il cane nel canile
il bimbo nel bimbile
il fuco nel fucile
e nella notte nera
dorme la pula
dentro la pantera

dormono i rappresentanti
nei motel dell'Esso
dormono negli Hilton
i cantanti di successo
dorme il barbone
dentro il vagone
dorme il contino
nel baldacchino
dorme a Betlemme
Gesú bambino
un po' di paglia come cuscino

dorme Pilato
tutto agitato

dorme il bufalo
nella savana
e dorme il verme
nella banana
dorme il rondone
nel campanile
russa la seppia
sull'arenile
dorme il maiale
all'Hotel Nazionale
e sull'amaca
sta la lumaca
addormentata

dorme la mamma
dorme il figlio
dorme la lepre
dorme il coniglio
e sotto i camion
nelle autostazioni
dormono stretti
i copertoni

dormono i monti
dormono i mari
dorme quel porco
di Scandellari
che m'ha rubato
la mia Liú
per cui io solo
porcamadonna
non dormo piú

SATIRETTE

Le poesie del Papa*

I preti operai

I preti operai
lavorano sempre
e non pregano mai

La tiara

La tiara xè una cosa
pesante e sbrillantosa
che ti meton su la crapa
quando che ti fano papa

Xè un quintale e piú de peso
se camini te sbilancia
poi finisci lungo steso
e ti sbatti con la pancia

* Si tratta di Giovanni Paolo I.

La ricchessa della chiesa

La ricchessa della chiesa
sono i poveri e gli oppressi
che però come ricchessa
non ti danno gli interessi
se vuoi fare investimenti
meglio vendere i poareti
e comprare apartamenti

Paesaggio alpestre

In mezzo al gregge
c'è una pecora nera
che fa le scoregge

Le poesie del Generale

(tre componimenti di Dalla Chiesa che non è poi quella bestia che sembra)

La mia battaglia

L'Italia è una cartina
per le esercitazioni
metto una bandierina
e sposto due plotoni

Metto uno spillo nuovo
e un altro tolgo via
credevo fosse un covo
era una farmacia

Colpito ed affondato
covo in via Mario Poggi
un altro duro colpo
alla crisi degli alloggi

Moretti? A chi alludete?
A Nanni o a Marino?
Se la faccenda è oscura
accendete un cerino

Dio, ma quanto lavoro
ho ancora da sbrigare

con i verbali Moro
tutti da sistemare

Voi dite, il materiale
è d'interesse generale?
Il general son io
e quindi è tutto mio

La fuga di notizie
è il nostro grande guaio
Come? Non c'è più Freda?
Sarà dal tabaccaio

Ma siete tutti matti
a parlar di contratti?
In guerra più non vale
che la legge marziale

Un po' meno politici
e un po' più colonnelli
Berlinguer stia punito
si tagli quei capelli

Vola alto nel cielo
l'aereo personale
con il mandato in bianco
sorride il generale

Sulla collina

Generale, sulla collina
c'è Franco Freda che va in Argentina,
dice che torna domattina
"Che mandi almeno una cartolina"

Io sono l'Italia

CARLO, come il re del Piemonte
della nostra bianca e fiera montagna
ALBERTO, come Sordi di Roma capitale
che se ne frega e magna
DALLA, com'è profondo il mare
che tutto ci circonda e bagna
CHIESA, che sacra e secolare
sulla via di Dio ci accompagna

Governo balneare

Sotto l'ombrellone

A Zanone
sotto l'ombrellone
arrivò in faccia un pallone
e gli fece un po' male
ma poiché era liberale
lo ridiede al bambino
E da tutte le zone
da Legnano a Riccione
e anche da San Marino
arrivarono bambini
per tirare il pallone
in faccia a Zanone

La conchiglia

"La Maddalena non è radioattiva"
urlò Cossiga, e raccolse sulla riva
una conchiglia per sentire il mare
e sentí una voce che diceva

"tutti al bunker, allarme nucleare"
Disse "sarà un paguro burlone"
Un attimo dopo l'esplosione

Oceano

Nel mare di Fregene
Spadolini e Mammí
nuotavano insieme
li chiesero in marito
ben dodici balene

La beffa

Leo Valiani
chiese la pena di morte
ma per beffarda sorte
fu senatore a vita

Gli sposi

Regimino e Velina
travolti da passione
fecero una bambina
di nome Informazione
che però appena nata
era cosí censurata
che per dire papà
chiedeva già il permesso
alla Proprietà

Vacanze socialiste

Craxi stava all'ombra
e disse a Signorile
"vada a prendere il sole
e me lo porti qua sotto
se no mi scotto"
Signorile obbedí
Anche in vacanza c'è gerarchia nel PSI

Estate

Previsioni del tempo:
in forte aumento
le temperature locali
e i culi in prima pagina
sui settimanali

Dubbio di bimbo ricco

Anche alle Seychelles
ci son le patelle?

Estate musicale

Due ali sull'asfalto
angelo investito
faceva l'autostop
cinque siringhe
una mattina
conficcate nella gomma
di una macchina
città senza nessuno
ma di notte, c'è uno
che suona il piano
dalla finestra aperta
e lo ascoltiamo
Quanto speriamo
che non lo paghi il Comune

A un giornalista

La Juventus, gli incidenti stradali
le malattie mortali dei colleghi
di questo ti interessi e ami parlare
quando cade un aereo o c'è uno stupro
quando senti suonare la sirena
il tuo viso si illumina: solo
sopravvivendo agli altri ti senti
un poco vivo: sei un corvo
fermo su una riga di giornale

SATIRONE

Il cielo

(una poesia inedita di Eugenio Montale)

Il cielo, mi dite: ma cos'è il cielo?
Forse la tenda azzurra che sovrasta
Pattume di sogni e di idee frattaglia
Dove zirla il tordo e l'aereo fracassa
Dove nuvole s'acciaccano in battaglia
E satelliti s'imbrancano e fan schiera
Come zinzelle d'intorno alla lumiera?

Marziani, mi dite: ma cosa me ne importa?
Quale in estate di Rapallo africosa
Raccoglie il mar da terra paccottiglie
Cocomeri, hatú, carte e bottiglie
E porta alla deriva verso il largo
Ogni merdaglia di condominio e albergo
Tale la terra, stronzo solitario
Galleggia tra le stelle in gran mar d'aria

Un ufo, dite, un ufo? ma io sono stufo.
Guardo la redola nel fosso, in su la nera
Corrente sorvolata di libellule
E mentre l'allarme antiaereo suona
M'addormento in poltrona

Autobus!
(una poesia inedita di Vladimir Majakovskij)*

Poltrona dopo poltrona, fila dietro fila il 14 ottobre
i bolscevichi, uomini d'acciaio e di ferro
entrarono nel palazzo a cinque piani del comune di
                              [Bologna
sedettero scambiandosi un sorriso. Lí decidevano
                              [senza indugi
sui problemi del giorno. Ecco è ora di incominciare
                      [ma perché si ritarda? Perché
il servizio d'ordine si è diradato come una difesa
dove è stato espulso lo stopper?
Perché gli occhi sono piú rossi
del prosciutto gambuccio? Perché
Imbenič si mostra malsicuro?
Qualcosa è accaduto
ah, no! Come è possibile questo?
Il soffitto s'abbassò su di noi come un corvo
si chinarono le teste, si chinarono
tremando divennero buie

---

* La poesia ricorda un episodio tragicomico della Bologna dopo il
marzo settantasette. Nel corso di incidenti in città un autobus andò a
fuoco e il sindacato tranvieri ne portò la carcassa in piazza raccoglien-
do firme contro "la violenza." Nessuna firma era stata raccolta, mesi prima, per lo studente Francesco Lorusso, ucciso dai carabinieri.

le luci dei lampadari, s'incantò
il trentatré giri di Sarti
Poi Imbenič si alzò
si riprese, ma non riuscí a inghiottire le lacrime
che solcavano le sue guance
e le lacrime lo tradirono brillandogli nei baffi
si confondono i pensieri e il sangue batte alle tempie:
"ieri, alle sei e cinquanta minuti
hanno arrostito il compagno autobus"
La notizia colpí Zangheri allo stadio
come una fucilata, e i consiglieri
che cento volte Tesini
avevano fissato negli occhi
si vergognavano del pianto davanti alle donne
Il giorno entrerà nella dolente memoria
dei secoli. Lo sgomento strappò un gemito al ferro:
tra i bolscevichi passò il singhiozzo
della cupa oppressione. S'alzò un grido
"abbiamo perduto l'autobus
della rivoluzione"

Sutra di Nicolini
(una poesia inedita di Allen Ginsberg)*

Inoltre se mi capisci io ti dichiaro un nicolini
nicolini cristo one man show revival mandala
                                      [hollywood
nicolini cibernetico il cui camerino è una grotta in
                           [un computer interstellare
comete & comiche mute e sorriso di Gable & denti
       [da vampiro sangue finto panzanelle rock
                                    [coca-cola calda
nicolini furbo che ruba le ghiande a paperino
nicolini chicolini
molte donne sognano cineclub ultima fila buio con
                                         [nicolini

* Durante l'estate romana del '79 il comune, tramite l'assessore comunale alla cultura Renato Nicolini, organizzò un festival internazionale di poesia con Ginsberg, Evtušenko, altri poeti. Benni "tradusse" due composizioni di Ginsberg e Evtušenko. Ma "il Messaggero" abboccò, scambiandole per autentiche. L'infortunio diventò colossale e la beffa di Benni fu addirittura datata: si scrisse che il componimento di Evtušenko era stato scritto, chissà poi perché, in autunno a Berlino. Ma l'amo di Benni pescò un pesce piú grosso. Antonello Trombadori prese per autentica la poesia di Allen Ginsberg e, nel corso di un dibattito in televisione, la lesse, fra le risa degli ascoltatori, come un brano che provava "l'idiozia" della poesia moderna. Seguí una dolce smentita di Ginsberg e una violenta telefonata del poeta sovietico al direttore del "Messaggero."

84

nicolini con la sua zazzera selvaggia cammina
                              [lungo il Colosseo piangendo
nicolini si buca sovente imita Sordi & Lindsey
              [Kemp Corman Rivera perché no Vertov
nicolini power, oh tu onnipotente, onnipotente il
                        [rantolo universale dei tuoi mille
                        [comunicati stampa zen nicolini
pornonicolinistereonicolininicoliniboia
quale macchina celeste, quale burocrazia centrale,
                    [quale Metro Goldwyn Lenin Mayer
potrà fermarti sulla tua Cadillac russa mentre la radio
                      [impazzita blatera blues Baglioni
                    [bierre da Cleveland a Ostia?
nicolini sibilo di droga nell'occhio di Nonna Papera
nicolini assassino, nicolini assessore
nicolini venti pastiglie di argan per un suicidio
                              [su un letto sfatto
nicolini che usa Marilyn come segnalibro
nicolini può far riscoprire dio ma è perfettamente
                                            [ateo
e gli insetti intorno alla lampada la grande festa lo
              [show finale il ponte che salta in aria
                [lo so ti porteranno via nicolini
nicolini da qualche pianeta un'astronave rossa
                        [scenderà ti uccideranno
oh nicolini jazz spezzato la tua vestaglia d'oro
        [insanguinata lampade rotte unico indizio una
                  [salsiccia del festival dell'Unità
bene bene dice il private-eye di Thiblisi fatto fuori
                                          [nicolini
per santo Bogart santa Lauren alza l'ostia sotto
i riflettori bolletni cosí noi ti ricorderemo o dracula
o gilda o Poona alla fermata del tram o boy di
terza fila buono per tre siringhe angeliche
                                  [contemporanee

su tre schermi o Socrate o pusher di cultura la mia
                                              [vena
trema come una vecchia pellicola e ti aspetta resta
                                         [con noi
nei secoli dei secoli nicolini the end

Castelporziano

(una poesia inedita di Evghenij Evtušenko)

Castelporziano!
La tua canzone è selvatica
Sono mille violini gli aghi della pineta
fremito che percorre i cespugli, come l'ira
le sopracciglia di Breznev

Mare, séccati!

Mostra sul tuo fondo svelato il galcone della poesia
Il trionfale naufragio, il mostro preistorico
le rughe geologiche di mille opere
Bucce di cocomero ed Esenin
e là, che nuota tra i preservativi,
infastidito, Lord Byron
e nella chiazza di petrolio, gabbiano invischiato
batte le ali Lorca
(e tu, Vladimir, che fai
abbracciato a una seppia?)

Castelporziano!

Quale panino conterrà la tua fame
quale verso la tua bestemmia
nell'ingorgo con mille clacson

Ma qui, tra il fumo
di mille ceri del Nepal
paese al mio confinante
io, Evghenij
io, Evghenij Evtušenko
io alzo le dita di alghe e petrolio
con cui a lungo carezzai il mare
e giuro

Io lo giuro!

non urlerò quando i vostri denti curiosi
assaggeranno i miei versi
chiuderò gli occhi

inerte

come un risotto di mare, sbranato
sussurrerò
alioscia, fratellini, compagni:.

divoratemi!

Il mostro Franz

Una notte fredda e scura
una notte di tregenda
nonna avanti del camino
raccontò una storia orrenda
i bambini, nel sentirla
vomitavan la merenda
anche il nonno, che era stato
partigiano sulle Langhe
nel sentir questa leggenda
mantecava le mutande

"Il mostro Franz era alto
circa tre metri e venti
con tanti di quei denti
che quando li lavava
sei tubetti consumava
di Mostrodol

Brutto, veramente brutto
e neanche intelligente
e non faceva niente
per migliorar

E mentre gli altri mostri
imparavan l'inglese
studiavan da dottore
o facevano i soldi
con i film dell'orrore
lui stava dentro al bosco
a spaventar la gente
quel mostro deficiente

Cosí un giorno che aveva mangiato
due turisti svizzeri un po' vecchiotti
e s'era poi parecchio annoiato
a spaventar galline e paperotti
decise là per là
di andare in città

E qua la vide, annunciata
da uno striscione di stoffa colorata
e tutta imbandierata
lei, la mostra
si chiamava "mostra
dell'antiquariato"
la mostra che ogni mostro ha sempre sognato

era una mostra del settecento
ma in amore, cosa conta l'età?
aveva quadri e ceramiche, vere rarità
aveva tutto ciò che può far delirare
un mostro sensibile, quale in particolare
era il nostro
benché mostro

cosí lui si dichiarò
se tu vuoi, le disse, io ti rapirò
andremo insieme per il mondo

tu cosí bella, io cosí mostruoso
faremo un numero strepitoso

Non posso, disse lei, io amo
riamata, un mostro eccezionale
un mostro di cultura, si chiama Biennale
tu, in fondo, puoi servire
solo per un Luna-Park da poche lire

Respinto, il mostro Franz
pianse ventiquattr'ore
con urla e con lamenti
tali che tutti quanti
chiamavano gli agenti
del soccorso mostro
'fate qualcosa
è una cosa mostruosa!'

poi gli venne una fotta
ma una fotta, una fotta
che tremava tutto
come una ricotta
prese un treno e in città andò
o mia o di nessuno, urlò
saltò sulla mostra e la divorò

le mangiò l'ingresso e la biglietteria
le divorò il catalogo fino all'ultima pagina
le mangiò il reparto tappezzeria
le mangiò trumeau, porcellane e argenteria

le mangiò un Caravaggio come fosse formaggio
le mangiò un Raffaello come fosse un tortello
mangiò tre Tintoretti come fossero spaghetti
il tutto condito con un Parmigianino

e due dita di vino
e alla fine, per fernet
un Monet
Poi si sdraiò in poltrona
fece un rutto e morí. Proprio cosí
Il medico disse: decesso provocato
da indigestione di antiquariato"

Qui finiva la storia e nonna taceva
nel camino la fiamma lenta bruciava
il nonno la pipa lenta fumava
il cane russava, il gatto ronfava
e noi nel buio restavamo a pensar
all'orribile storia del mostro Franz

Il compagno Romeo

Questa è la storia del compagno Romeo
che non sapeva stare in corteo
ad ogni carica della polizia
restava da solo in mezzo alla via
cadeva, inciampava e diventava rosso
perché s'era fatto la molotov addosso

perdeva gli occhiali
restava staccato
sbagliava gli slogan
cantava stonato

se dava una mano
a far barricate
restava ogni volta
con le mani incastrate

se partecipava
agli espropri nei bar
soltanto cedrata
riusciva a espropriar

in quanto alle bottiglie
per uso militare

tutte nella sua macchina
glie le facean portare

(per cui la sua seicento
nei giorni duri e belli
sembrava l'enoteca
di Luigi Veronelli)

e una volta, guidando
sul luogo della lotta
tamponò una Mercedes
e fece Piedigrotta

giunto, tra i candelotti
fitti da far paura
vide venirgli accanto
nel fumo una figura

compagno! gli gridò
passami un sampietrino
e innanzi si trovò
l'appuntato Padalino

seguí colluttazione
con scambio di pappine
Romeo dentro a un portone
riuscí a scappare infine

ed eccoli gli agenti
che attaccano il corteo
con un pavé tra i denti
si lancia il buon Romeo

bang! e il sasso vola
a colpire un gippone

bang! ed un altro sasso
tira con precisione

s'ode un grido! Romeo
l'hai fatta proprio bella
ha preso nella testa
il povero Pannella

lo chiama il capitano
del plotone autonomia
Romeo, sei un disastro
è meglio se vai via

Romeo piangente e mesto
tornò a casa e abbozzò
entrò nel Manifesto
e piú non ci pensò

ma se sotto al balcone
vede sfilar gli armati
gli viene un lacrimone
per i tempi passati

e per sfogarsi un po'
quando nessun lo sente
sfascia una macchinina
presa alla Rinascente

Questa è la storia del compagno Romeo
che non sapeva stare in corteo

FOTOGRAFIE

Foto da Storia

(a M. dopo la bomba)

La città è diversa?
No, non è diversa
Ricostruiremo
quelle stanze
nella piazza dove eravamo
foto da Storia
per cinque ore
fianco a fianco
storditi o feroci,
ripassando ci ignoreremo
Riapriremo la radio
Chi si buca ha detto
che forse smetterà
Siamo piú tristi
e non ce lo diciamo
I giornali dicono
che resistiamo
Della vita non bisogna
parlare mai

Qualche volta vi vedo
stretti alle vostre poche gioie
superstiti, salvi, scampati
poi magari disperati sbattere per terra
i vestiti vecchi della delusione
e piangere e chiedere giustizia
Ma una morte, anche lontana
segna sempre un po' la vostra faccia
sgomenta l'indifferenza
chiusi dentro le macchine, assediati
nelle città, nelle case
obbedienti agli schermi parlanti
tutti una volta pensate
che possa essere lo stesso destino
che siamo la stessa razza di animali
che conta gli anni in milioni
che sta impaurita in mezzo al cielo
e ascolta ogni ala che batte
e i grilli che vegliano i morti

Lettera dal manicomio di Reggio

Mi scrivi da tanto lontano
piccole buste sgualcite
e francobolli storti
e frasi d'inchiostro rosso
tutte in fila, con la testa
chinata da una parte
come i malati sulle panchine
E mi parli degli egiziani
di un'auto che volò in un burrone
della sfortuna degli angeli
che vanno fuori strada
E che nessuno ti ascolta
di notte nei corridoi
grandi come strade
ore giorni settimane
senza un vero pensiero
solo un buco nero
in cui marcisce l'anima
Ti saluto e spero
che tu venga
a trovarmi. Franco

A Roberto Roversi

C'è un buco nel portico
della città di Bologna
come l'inferno 'inghiotte
i giovani poeti

Un diavolo benigno
li travia. Escono
trasfigurati, gridando
i loro versi al sole

Se fuori c'è la nebbia
da quella libreria
si vede alla finestra
(per qual diavoleria)
il cielo azzurro

I libri parlano
anche se sono chiusi
beato chi sa ascoltarne
l'ostinato sussurro

Le stesse cose

Mio padre corre
a gambe dritte come un vecchio
ride e ha i denti guasti
proprio come i vecchi
la sera ha gli occhi storti
per le troppe medicine
e ripete due volte le stesse cose
Mia madre si alza
dalle poltrone come le vecchie
in bilico sull'abisso del mondo
soffia mentre fa le scale
dorme coi sonniferi
e ripete due volte le stesse cose
e io ho trentatre anni
e ripeto sempre le stesse cose
e mi stupisco di questi due vecchi
che fanno cose da vecchi

Zia

Sono stanca, hai detto
levandoti il camice
cosí piccola, di colpo
con le scarpette di gomma
nei corridoi silenziosi
dove è padrone il dolore
La testa china su una cartella
pressione glicemia azotemia
i miei giochi di parole
per farti ridere
e portarti via. Zia. Non posso
devo finire
gli alberi sono rossi di sole
stanotte forse muore
la camera cinquantotto
e noi decidiamo se andare
al cinema. La mia malattia
è la tua. Il dolore
degli altri non si stacca
dalla pelle
né lasciando un camice
né finendo una poesia

e sono stanco, anch'io
che non salvo vite
e non curo ferite
neanche le tue e le mie

Le foto

In quella, a sei anni
trionfante mostri alla folla
un pasticcio di sabbia
torace rachitico, faccia
da campagnolo al mare
A tredici anni, ti vedo
terzo da sinistra in basso
in una specie di bestiario
di fronti basse e occhi storti
appannati dalle pippe
e dai sogni. Una classe
di mostri, pronti a diventare
bei ragazzi, tutti avvocati
A sedici anni, con lei
ti stringi su un'altalena
lei mostra un po' le gambe
tu una cravatta oscena
è mia, è mia, dichiari
cingendola con il braccio
A diciotto, già fumi
distratto in riva al mare
piú niente da provare

Venti: a una riunione
alzai il braccio, feroce
Marx compagni ha detto
questo questo nonché questo
hai la sciarpa al collo
vicino a una scritta
"l'immaginazione al potere"
(peccato che le scritte
non possano sorridere)
E quello lí, che tira
plastico un sasso, chi è?
Ma sí: guardalo da vicino
sempre lui, il poverino
e poi da militare
e poi a una cena di ex militari...

E poi per finire
sopra un giornale
con un sorriso beffardo
sforzandoti a piacere
a duemila lettori
tuoi futuri elettori

L'umorista

L'umorista
come fa ridere!
chissà dove trova
le idee
in quale misteriosa
insonnia
in quale particolare
magia
da quale nuvola
esilarante
vede il mondo
contorcersi
e le parole cadere
giú dalle scale

Cos'è l'umorista?
uno triste?
uno spietato?
un cinico affarista
o è disperato
perché non avrà mai indietro
le risate che ha dato?

Il poeta

Il poeta è un uccello
che becca le parole
sotto la neve del normale
viene sul davanzale
e scappa, impaurito
se lo vuoi catturare
Il poeta è femmina
Il poeta è gagliardo
ha qualcosa, nello sguardo
che tu dici: è un poeta
Spesso è analfabeta
ma è meglio
è piú immediato
Il poeta è un ammalato
colitico, fegatoso, asmatico
il poeta è antipatico, scontroso
ombroso: guai
chiamarlo poeta
è una cometa
che annuncia un mondo nuovo
è assolutamente inutile
è un fallito
è un pappagallo di partito

è organico, no,
è fatto d'aria
ha nella penna tutta intera
la rabbia proletaria
è sopra la politica
è sopra il mondo
il poeta è tisico e biondo
il poeta è sempre suicida
il poeta è un furbone
il poeta è una sfida
alle banalità del mondo
il poeta è assolutamente
del tutto normale
il poeta è omosessuale
il poeta è un santo
il poeta è una spia
poi un giorno va via
in un isola lontana
o anche a puttana
e lascia un gran vuoto
nella poesia
la sua
il poeta è il titolo
di questa mia

GIAMAICA

Slogan

A Filicudi
tutti nudi
a mangiare pesci crudi

Giamaica

Calde le due
nella piazza deserta
due cani spelati
e cinque bei giovani
scocomerati
mettiamo insieme
cinquanta milioni
di cento lire
addio pere addio
dobbiamo partire
please un biglietto
tariffa normale
e quattro ridotti
(ridotti male)
e i cani agratis
che andiamo in Giamaica

Calde le nove
nel bar affollato
tressette e ghiaccioli
ci hanno stufato
partiamo tutti
in gita aziendale

please cento biglietti
su un charter speciale
ha detto Agnelli
all'Unità
che pagherà
se restiam là
in della Giamaica
su, andiamo a fumare
la marijuana
che sembra sia il massimo
insieme all'albana
prepara i bikini
prepara i bambini
prepara i stecchini
che là non li usano
in della Giamaica

Calde le quattro
le quattro di notte
a far discorsi
sul sessantotto
grida un compagno
"rivoluzione,
adesso basta
mi faccio crescere
le trecce rasta"
e noi crudeli
"va là, sfigato
che sei pelato"
e quello offeso
se ne va via
forse in Giamaica

Calda la folle
estate romana

pensando a te
cosí lontana
c'è l'orchestra in piazza
il ballo alla villa
il mimo che mima
una mamma che strilla
e c'è uno coi trampoli
che mi piscia in testa
oh che bella festa
e io resto in casa
a guardare il mare
su un depliant di Rimini
e mi viene voglia
di telefonare
"senti, stasera
se non sai cosa fare
andiamo in Giamaica?"

Le cuffie

(ovvero una poesia su quegli aggeggi infernali con cui si
può ascoltare la musica anche in strada, senza farla sentire
agli altri, con la radiolina o il registratore in tasca. Chiaro?)

Nella tua cuffia stereo
non so cosa c'è
rock, ska o reggae
comunque lo tieni per te
camminando e battendo il tempo
posso solo invidiare
posso immaginare
il folletto che sale su
su dall'orecchio
ragazzina che balla
la sua musica invisibile
tra la folla di un grande magazzino
ridi e solo tu sai
sotto ai tuoi capelli
Bowie fa il cretino
proprio con te
stasera lo porti al cinema
e domani, è meraviglioso
esci con gli Who
per te riuniti
il tuo ragazzo è geloso
e anch'io un po'
che la cuffia non l'ho

ehi voi due, americani
che a Venezia ballavate
sopra il vaporetto
ma Crosby Still & Nash
l'avevano il biglietto?
E i commessi del negozio
in cuffia servono i clienti
e i Police li incitano
a essere efficienti
e quel giovanotto
sdraiato in piazza
da Jagger è sedotto
e sull'autobus sei
la ragazza bionda
canta un duetto con chi
sa solo lei
mi dicono che tutti i negri
di New York
girano con la cuffia
e presto tutti i russi
e i cinesi a Pechino
ognuno con il suo
stereo nel taschino
e chi sarà senza
ti verrà vicino
piangendo dirà, oh
dammeno un po'
dammi cento lire di rock
fammi ascoltare, solo un momento
nella tua cuffia, al caldo
fammi entrare
e nessuno ti starà a sentire
e verrà un poliziotto
battendo il tempo
un po' dinoccolato

nella sua cuffia un reggae
appena sequestrato
e dirà non infastidire
quelli con la cuffia
se non ce l'hai va a dormire
fuori dai coglioni
gli accattoni di canzoni
e la notte gli spazzini
spazzando al ritmo di liscio
non ti daranno i cerini
e anche le puttane
perderanno la testa
in cuffia per Iglesias
non ti daranno retta
ehi! compagni di partito
ascoltate un po' me
non ascoltate Bennato
l'ha detto Benvenuto
per i dodicimila
nell'accordo son previsti
registratori a pila
e per me no
la cuffia non ce l'ho
anche il nonno ha una cuffia vecchia del diciotto
quand'era nei marconisti
s'addormenta sul cesso
ascoltando Battisti
mia madre ha uno stereo
nella borsa della spesa
one two three e adesso
un bel pezzo di Dylan
e un bel pezzo di lesso
e ieri per finire
la mia baby ha comprato
una cuffia gialla

è scappata con Dalla
ecco perché
nella tua cuffia stereo
non so cosa c'è
rock o ska o reggae
comunque serve a me
scusa se ti minaccio
ma la pistola è vera
so quello che faccio
o la cuffia o la vita
ecco: la mia cassetta, quella preferita
l'ultima di Jannacci
camminando e ballando
anch'io come tutti
me ne vado in cuffia
non parlo piú a nessuno
ballo, passo e saluto
adesso che ho il sonoro
son diventato muto

Colonna sonora

Bach giardini di Versailles
Mingus la mattina a Venezia
I Beatles la finestra del liceo
Lou Reed le botte con la polizia
I King Crimson una donna
È necessario che spieghi?

Vivaldi un campeggio in Spagna
Archie Shepp i miei amici arrabbiati
Rolling Stones voglia di scopare
Dalla i colli in macchina
Joe Cocker il mio ospedale
A voi non è mai capitato?

Ciajkovskij gioventú e pugnette
Coltrane la pioggia a Reggio
Verdi mio zio cacciatore
Brel la mia stanza a Parigi
e Mama Bea un'altra donna
E mentre scrivo, ascolto
Brahms. E voi? Avete
una colonna musicale
per la vostra vita
a colori?

Benvenuti a Pattiland

Patti è santa, la musica è nostra
ma viene il Mamone e ce la porta via
Mamone, il commenda rock con le manone
che firmano contratti come mandati di cattura
Mamone che si dà del tu con Dylan
che dice a Lou Reed "ti stronco la carriera"
Mamone che dice che il business è un gioco
che il bello è il rischio, non i soldi
qualche volta si guadagna, qualche volta si perde

Patti è santa, la musica è nostra
ma viene l'Arci e ce la porta via
brutta Arci, braccio violento del giradischi piccí
che ha rifiutato l'affarone degli anni ottanta
che s'è ingoiato Dalla fino all'ultimo pelo
e ci riempirà di musica come tromboni
e ci porterà qua Woodstock tutta intera
comprese le birre e i panini Usa d'epoca
e quattrocentomila ex-giovani americani
mille pullman di turisti panciuti e sorridenti
ci porterà Arlo Guthrie, Joe Cocker, forse
(se siamo bravi) Pat Boone in novembre

Patti è nostra, la musica è santa
ma c'è tanta, tanta polizia
che ritma dentro ai cellulari
show-da-doo-wah-dah show-da-doo-way
se ti muovi, amico, son guai
e il servizio d'ordine, dio che bel servizio
angeli dell'inferno e gasisti hotrod
e urlano con la voce profonda di mille chitarre basso
è ora, è ora, è ora di cambiare
il piccí deve rockeggiare

Patti è santa, la musica è nostra
ma viene l'Espresso e ci fa la copertina
e la Tv gli special due mesi prima
e diavolessa della notte regina punk biennale
e interviste sacerdotessa new wave foto in ogni
                                        [giornale
io che ti amai con pochi su un disco notturno
ti credevo fatta d'aria e di accordi
e m'han detto che t'han visto alla Giudecca
e mangiavi gamberoni. Dio!

Patti è santa, la musica è nostra
ma viene Patti e non ne sa niente
Cristo, perché non l'avete avvertita?
ama Pasolini e la Magnani, Campana e Corazzini
ma se le chiedono: conosci Negri? risponde
"oh sí, ad Harlem ce n'è un casino"
oh, Patti, non deluderci, ti imploriamo
non puoi essere diversa da come credevamo
O colomba delle fogne, o lucertola degli abissi
o madonna affamata in un presepe al neon
non dire che ti piace papa Luciani
dicci che sei con Mamone perché ti ricatta
Patti, è Mamone che ti dà il metadone,

è vero? tu non prendi soldi, è vero?
ti libereremo, Patti

La musica è nostra? Patti è santa?
Santa Patti, non lasciarci cosí
rivolgi a noi gli occhi tuoi pesti e misericordiosi
salvaci, portaci con te in America
a raggiungere i nostri compagni a San Francisco
a New York, a Malibu: là c'è la nuova onda
abbiamo ripassato l'inglese allo stand-by di Londra
interrogaci su birdland
ascolta: show-da-doo-wah-dah show-dadooh-day
parlophon cibiesse rca philips wea. Bene?

La musica è nostra, Patti è santa
guardaci, siamo venuti in centomila
a far crepare d'invidia papa Wojtyla,
e tu non vuoi fare almeno un miracolo?
moltiplicherai i posti a sedere, Patti?
guarirai i sordi? camminerai su un do settima?
o ci dirai di nuovo che è solo rock'n roll
che non esiste Pattiland
oh, Patti che sarà di noi?

La musica non è nostra, Patti chissà
ma quello che ci hanno rubato ce lo riprendiamo
alla faccia di Mamone e della Wea e del bisnes
accendiamo ciascuno un cerino, ti adoriamo
tu sei la luna mistica, noi un cielo stellato
benedici il tuo popolo, finalmente libero
anche se ancora ci hanno fregato
perché il cerino non è nostro
è del monopolio di stato

Santa Patti, canta per noi

Ai Beatles

Lennon morí
sparato da un hawayano
George morí
ucciso da un guru indiano
Ringo per il dolore
si impiccò a un melograno
e Paul morí in Scozia
punto da un tafano
Io ereditai tutto
e mi comprai una casa
di cento metri quadri
nel centro di Milano

Addio, addio

Addio, addio!
Ridicolo mi sporgo
da una nave che è grande
come il mondo
Sono io che parto
o sono il solo
a restare?
Addio, addio!
Ecco che sventolo
un fazzolettino
È tutto quello che resta
della mia anima
ben spesa
Sul biglietto c'era scritto
giorno ventotto
Scusate la fretta
del destino
Come il primo
uccello che ha trovato
il paese senza freddo
vi aspetto, compagni

Autostop

Tristi sudati
aspettando un passaggio
e dentro ai camion
addormentati
nella musica invisibile
dei propri pensieri
da un paese all'altro
ai bordi della strada
sono milioni
i giovani uccelli
che vanno dove

A Torre

Mi scrivi a Bologna
che anche in America
esiste l'insonnia
ma è un'altra cosa
restare sveglio
fino alle sei
a sentire una radio
che dice allright okey

A Paolo

Sei puro spirito
niente emozioni
controlli il respiro
e le pulsazioni
ma giú di corsa
scendi dal Tibet
se senti odore
di rigatoni

Segreteria schizofonica

Sono Stefano Benni
sono momentaneamente assente
dalla mia mente
vi prego di lasciare
il vostro nome e cognome
e un numero o come
cazzo rintracciarvi
non appena avrò ripreso
il controllo dei nervi
sarà mia premura
richiamarvi. Vi prego
di non fare pernacchie
né rutti o parolacce
né fare i brillanti per dire
qualcosa di speciale
che mi consoli. Sto male
Parlate
subito dopo il segnale

Overdose

Dio, la mia testa!
Stamattina
già cinque caffè
e tanta nicotina
Dammi due cachet

E lo stomaco! Ci ho proprio
un chiodo nel duodeno
saranno le tre grappe
o i Campari a digiuno?
(Il Martini? ma via
ne ho preso solo uno!)

Piuttosto è la Vodka
che m'ha un po' agitato
per fortuna col Valium
mi sono calmato
(ma, credi a me
il massimo è il Tavor
con Gin e Fernet)

Adesso però
devo star su

fino a domattina
mi sparo due caffè
Optalidon e Aspirina
e se proprio crollo
un'Anfetamina

Ah, sí le sigarette
io quando lavoro
devo aver lí sul tavolo
una stecca di Marlboro
se no, non riesco

Forza, partiamo!
Due whiskini ghiacciati
e scriviamo un bel pezzo
su quei poveri drogati

(Ahi, la mia testa,
presto altri due cachet)
Dunque: perché lo fanno?
Perché?
Perché?

La tartaruga di scudi
che avanza
il plotone di automi
che uno per uno
si chiamano
Tore, Vincenzo, Mario
Il tenente isterico
col mitra in alto

Un mare di lana
nostrana e peruviana
sciarpe eskimo guanti
barbe pelo baffi occhiali
proprio come vi piace
solo i tascapane
stonano, riempiti
con misteriosi rumori
occhi dietro
i fazzoletti colorati
che uno per uno
sono di
Tore, Vincenzo, Mario

Il leader frenetico
che fa scorrere

Uno striscione bucato
che fa passare il sole
poi spazzatura arrosto
le solite cose
e quei rumori
che sembrano schiaffi
e lasciano
un buchino da nulla sul muro

e loro che scattano
e scattano a colori
e stampano in rosso
e stampano col filtro
e pubblicano

E fate mille copertine
ma pagine non ne avete
il libro insomma
non lo sapete leggere
e non c'è lieto fine
magari un finale
che non vi piace
non è commerciale

Indice

Poesie per chi non se le merita

Satirette

Giamaica

Sempre in "Universale Economica"

Stampa Grafica Sipiel
Milano, febbraio 2002

FELTRINELLI
EDITORE - MI

S BENNI
23-FEB 2002
L'AMORE ARRIVA
PRIMA O POI
S 0000592
DD 0108518O